Inglés sin Barreras

El Video-Maestro de Inglés Conversacional

6 El vecindario

Manual

Para información sobre
Inglés sin Barreras
en oferta especial de
Referido Preferido
1-800-305-6472
Dé el Código 03429

ISBN: 1-59172-298-5

I704VM06

Dedicatoria

Dedicamos este curso a todos los hispanos que tomaron la iniciativa de traer el idioma inglés a sus vidas para expandir sus horizontes. Los sueños pueden convertirse en realidad. Con gran respeto y afecto,

Sus amigos de Inglés sin Barreras

Metodología	Center for Applied Linguistics
Texto	Karen Peratt, Cristina Ribeiro
	Center for Applied Linguistics
	International Media Access Inc.
Ilustraciones	Gabriela Cabrera, Linda Beckerman
Diseño gráfico	Gabriela Cabrera, José Luis Quilez,
	Leena Hannonen/MACnetic Design,
	David Kaestle, Inc., Martin Petersson
Guión adaptado - inglés	Karen Peratt
Guión adaptado - español	Cristina Ribeiro
Edición	Horacio Gosparini, Yuri Murúa,
	Damián Quevedo, Mike Ramirez
Aprendamos viajando	Marcos Said, Pablo Moreno, Alfredo León
Aprendamos conversando	Howard Beckerman
	Producción: Heartworks International, Inc.
Música	Erich Bulling
Diseño gráfico - video	Marcos Said
Fotografía	Alejandro Toro, Alfredo León
Producción en línea	Miguel Rueda
Dirección - video	Loretta G. Seyer, Patricio Stark
Coordinación de proyecto	Cristina Ribeiro
Dirección de proyecto	Karen Peratt
Directora ejecutiva	Valeria Rico
Productor ejecutivo y director creativo	José Luis Nazar

El vecindario

Índice

Lección **1**

1 Notas

Le recomendamos que lea las palabras del vocabulario antes de ver el video correspondiente a esta lección. Éstas son las palabras más importantes de esta lección.

street	*calle*
avenue	*avenida*
boulevard	*bulevar*
drive	*paseo*
road	*camino*
highway	*carretera*
around	*alrededor de, en los alrededores*
close by	*cerca*
close to	*cerca de*
far from	*lejos de*
on the corner	*en la esquina*
neighborhood	*vecindario, barrio*
neighbor	*vecino*
place	*sitio, lugar*
bank	*banco*
bookstore	*librería*
convenience store	*tienda de barrio*
department store	*grandes almacenes*
drugstore	*farmacia*
dry cleaner	*tintorería*
gas station	*gasolinera, estación de servicio*
library	*biblioteca*
mall	*centro comercial*
movie theater	*cine*

5

office building	*edificio de oficinas*
park	*parque*
pharmacy	*farmacia*
post office	*oficina de correos*
store	*tienda*
subway	*metro*
subway station	*estación de metro*
supermarket	*supermercado*

Más vocabulario

in general	*en general*
same	*mismo(s), misma(s)*
which	*que, cual(es), qué, cuál(es)*
problem	*problema*
favorite	*favorito*
familiar	*familiar, conocido*
choice	*elección, opción*
expensive	*caro(a)*
empty	*vacío(a)*
(to) decide	*decidir*
(to) have to	*tener que, deber*
(to) hope	*esperar*
(to) look familiar	*resultar conocido, familiar*
hardwood floors	*pisos de madera, suelos de madera*
wood	*madera*

Elementos esenciales

Esta sección destaca los elementos básicos de esta lección. Lea detenidamente lo que incluimos en ella.

Italy	*Italia*	Italian	*italiano(a)*
China	*China*	Chinese	*chino(a)*
Spain	*España*	Spanish	*español(a)*
Mexico	*México*	Mexican	*mexicano(a)*
Guatemala	*Guatemala*	Guatemalan	*guatemalteco(a)*
Peru	*Perú*	Peruvian	*peruano(a)*
Colombia	*Colombia*	Colombian	*colombiano(a)*

(to) live on easy street

Esta expresión se usa para indicar que alguien lleva una vida holgada.

Bill won the lottery! Now, he's living on easy street.

Bill ganó la lotería. Ahora, lleva una vida holgada.

Aprenda y practique

Le recomendamos que aprenda las expresiones y oraciones que se incluyen en esta lección. Practique lo aprendido cada día.

I live at 1223 Marston Drive.
Yo vivo en el 1223 de la Calle Marston.

I live on Marston Drive.
Yo vivo en la Calle Marston.

I live in California.
Yo vivo en California.

There's a fire station on the corner.
Hay una estación de bomberos en la esquina.

There are three restaurants in my neighborhood.
Hay tres restaurantes en mi vecindario.

There isn't a bookstore at 885 Main Street.
No hay una librería en el 885 de la Calle Main.

 Dibuje el mapa de su vecindario y practique diciendo los nombres de los lugares en inglés. Busque los nombres de los lugares que no conoce en su diccionario.

Apuntes

"to have to"

El verbo **(to) have to** indica que una persona no tiene elección. Esta frase se usa para establecer normas o reglas.

You have to park in the garage, not on the street.
Usted debe estacionarse en el garage, no en la calle.

She has to take the bus. Her car is not working.
Ella tiene que tomar el autobús. Su automóvil está averiado.

We have to study. We have a test tomorrow.
Nosotros tenemos que estudiar. Tenemos un examen mañana.

Se usa también en el pasado.

It rained all day. I had to take an umbrella.
Llovió todo el día. Tuve que llevar paraguas.

I had a test on Tuesday. I had to study on Saturday and Sunday.
Tuve un examen el martes. Tuve que estudiar el sábado y el domingo.

Calles

Hay muchas palabras que significan calle en inglés. Los nombres de calles determinadas se escriben siempre con mayúscula inicial.

> Marston Street
> Douglas Avenue
> Highland Boulevard
> Spruce Drive
> Pecos Road

A menudo, se utilizan abreviaturas.

> Marston St.
> Douglas Ave.
> Highland Blvd.
> Spruce Dr.
> Pecos Rd.

Cuando se habla de calles en general, se suele usar la palabra **street**, especialmente en las ciudades. La palabra **road** se usa en zonas rurales. La palabra **highway** también es un término general.

> I met my friend on a street close to the library.
> *Me encontré con mi amigo en una calle cercana a la biblioteca.*

The roads between Salem and Winchester are closed for repairs.
Los caminos entre Salem y Winchester están cerrados por reparaciones.

The highways around Los Angeles are crowded.
Las carreteras alrededor de Los Angeles están congestionadas.

Preposiciones de lugar

La preposición **on** se usa siempre que se habla de una calle.

The bookstore is on 1st Street.
La librería está en la Calle Primera.

There are two gas stations on that street.
Hay dos gasolineras en esa calle.

La preposición **at** se usa siempre con una dirección determinada.

The bookstore is at 993 1st Avenue.
La librería está en el 993 de la Primera Avenida.

The gas station is at 1001 Pine Boulevard.
La estación de servicio está en el 1001 del Bulevar Pine.

La preposición **in** se usa al hablar de un vecindario, ciudad, estado, región o país.

There's a great Mexican restaurant in my neighborhood.
Hay un restaurante mexicano muy bueno en mi vecindario.

My family lives in El Segundo.
Mi familia vive en El Segundo.

Are there Spanish bookstores in California?
¿Hay librerías que venden libros en español en California?

Do you live in the city or in the suburbs?
¿Vive usted en la ciudad o en las afueras?

How many people live in Santiago?
¿Cuánta gente vive en Santiago?

Otras palabras de significado similar

drugstore	pharmacy	*farmacia*
movie theater	cinema	*cine*
movie	film	*película*
store	shop	*tienda*
close to	near	*cerca de*
close by	nearby	*cerca*
supermarket	grocery store	*supermercado*
cleaner		*tintorería*

Palabras que suenan igual

Hay muchas palabras que se escriben y pronuncian igual en inglés y en español y que significan lo mismo. Estas palabras le pueden ayudar a averiguar el significado de una palabra en inglés.

pharmacy	*farmacia*
(to) practice	*practicar*
democratic	*democrático(a)*
person	*persona*
minute	*minuto*

No obstante, debe tener cuidado ya que hay ciertas palabras que se escriben y suenan igual pero tienen significados diferentes.

bookstore	*librería*
library	*biblioteca*
pregnant	*embarazada*
embarrassed	*incómodo(a)*
(to) take a test	*hacer un examen*
(to) pass a test	*aprobar un examen*
(to) attend	*asistir*
(to) assist	*ayudar*
sensitive	*sensible*
sensible	*sensato(a)*

1 Diálogo

Éste es el texto completo del diálogo incluido en el video. Usted hará el papel del espectador (viewer). Si le hacen una pregunta personal, conteste usando información personal. Tenga en cuenta que las respuestas del espectador que le proporcionamos no son las únicas respuestas correctas.

Los vecinos

Bill	Good morning. *Buenos días.*
<u>Viewer</u>	<u>Good morning.</u> *Buenos días.*
Dan	Good morning. My name is Dan Martin. *Buenos días. Me llamo Dan Martin.*
Bill	Bill Gordon.
<u>Viewer</u>	<u>I'm _____.</u> *Yo soy _____.*
Dan	I just moved into Apartment 5 with my daughter, Kathy. *Me acabo de mudar al Apartamento 5 con mi hija, Kathy.*
Bill	I live in Apartment 7 with my wife, Amy. *Yo vivo en el Apartamento 7 con mi esposa, Amy.*
<u>Viewer</u>	<u>I live _____.</u> *Yo vivo _____.*

Bill   How do you like the neighborhood?
¿Le gusta el vecindario?

Dan   I don't really know it.
La verdad es que no lo conozco.

Bill   Oh, it's great. We have a lot of things close to the apartment building.
There is a convenience store on the corner.
There is also a supermarket close by.
Oh, está muy bien. Tenemos muchas cosas cerca del edificio.
Hay una tienda de barrio en la esquina.
También hay un supermercado cerca.

Dan   Is there a movie theater? I love to go to the movies.
¿Hay un cine por aquí? Me encanta ir al cine.

Bill   Well, there isn't a movie theater in this neighborhood.
But you can take the bus or drive.
Bueno, no hay un cine en este vecindario.
Pero puede tomar el autobús o ir en automóvil.

Dan   Good.
Bien.

Bill   I love going to the movies, too.
Maybe we can go together sometime.
A mí también me encanta ir al cine.
Tal vez podamos ir juntos alguna vez.

Viewer — Sure. That would be great.
Claro que sí. Eso sería fantástico.

Dan — Sure. Well, it was nice to meet you.
Claro que sí. Bueno, fue un placer conocerle.

Bill — Nice to meet you, too! I hope you like the neighborhood.
¡Yo también estoy encantado de conocerle!
Espero que le guste el vecindario.

silence is golden

Se traduce literalmente como "el silencio es oro" pero equivale a "en boca cerrada no entran moscas".

— I was angry but I didn't want to make things worse.
— You did the right thing. In these situations, silence is golden.

— *Estaba enojado pero no quise empeorar las cosas.*
— *Hiciste lo correcto. En boca cerrada no entran moscas.*

Lección

2

2 Notas

Le recomendamos que lea las palabras del vocabulario antes de ver el video correspondiente a esta lección. Éstas son las palabras más importantes de esta lección.

location	*situación, ubicación*
across from	*enfrente de*
behind	*detrás, atrás*
beside	*al lado de*
between	*entre*
in front of	*frente a, delante de*
near	*cerca*
next to	*junto a*
on this side of	*de este lado de*
on the other side of	*del otro lado de*
bar	*bar*
church	*iglesia*
fire station	*estación de bomberos*
museum	*museo*
nightclub	*discoteca, club nocturno*
police station	*comisaría de policía*
recreation center	*centro recreativo*
hospital	*hospital*
another	*otro, otra*
after	*después*
before	*antes*

errand	*recado, mandado*
dry cleaning (noun)	*tintorería, limpieza en seco*
shop (noun)	*tienda*
help (noun)	*ayuda*
stamp	*sello, estampilla, timbre*

Más vocabulario

Wait!	*¡Espere!*
(to) be in a hurry	*tener prisa*
pizza	*pizza*
pasta	*pasta*
(to) drop off	*ir a dejar algo*
(to) run errands	*hacer recados o mandados*
(to) volunteer	*ser voluntario*

Elementos esenciales

Esta sección destaca los elementos básicos de esta lección. Lea detenidamente lo que incluimos en ella.

I'll	=	I will
you'll	=	you will
he'll	=	he will
she'll	=	she will
it'll	=	it will
we'll	=	we will
they'll	=	they will
won't	=	will not

(to) cut corners

"Cortar esquinas" significa hacer un trabajo con más rapidez, pero con menos calidad. También significa ahorrar dinero.

— Angela's wedding was beautiful. Her parents must have spent a lot of money.
— Oh, yes, they did. They did't want to cut corners since she is their only daughter.

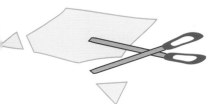

— *La boda de Angela fue hermosa. Sus padres deben haberse gastado mucho diner.*
— *Claro que sí. Tratándose de su única hija, no quisieron escatimar gastos.*

Aprenda y practique

Le recomendamos que aprenda las expresiones y oraciones que se incluyen en esta lección. Practique lo aprendido cada día.

The bookstore is
La librería está

near
cerca de
across from
  enfrente de
far from
  lejos de
close to
  cerca de
behind
  detrás de
beside
  al lado de
next to
  junto a
on the other side of
  del otro lado de
on this side of
  de este lado de
in front of
  delante de

the school.
la escuela.

The bookstore is
La librería está

between
entre

the school and the bank.
la escuela y el banco.

Apuntes

Otros lugares del vecindario

Veamos otros lugares que no figuraban en el mapa del vecindario.

bar	*bar*
church	*iglesia*
fire station	*estación de bomberos*
hospital	*hospital*
police station	*comisaría de policía*
recreation center	*centro recreativo*
nightclub	*club nocturno*
museum	*museo*

El futuro

La palabra **will** se utiliza para indicar el futuro. Para formar el futuro, sólo tiene que agregar la palabra **will** delante de la forma simple del verbo principal.

I will be late tomorrow.
Mañana llegaré tarde.

She will be in San Francisco next week.
Ella estará en San Francisco la próxima semana.

We will meet at the library at 4:15.
Nosotros nos veremos en la biblioteca a las cuatro y cuarto.

La contracción de la palabra **will** se usa generalmente con los pronombres. La contracción es la misma para todos los pronombres: **'ll**.

I'll be late tomorrow.
Yo llegaré tarde mañana.

She'll be in San Francisco next week.
Ella estará en San Francisco la semana próxima.

We'll meet at the library at 4:20.
Nos veremos en la biblioteca a las cuatro y veinte.

Para hacer una pregunta acerca del futuro, debe seguir el modelo de otros verbos auxiliares.

Will you be late tomorrow?
¿Llegarás tarde mañana?

Will she be in San Francisco next week?
¿Estará ella en San Francisco la próxima semana?

Will we meet at the library at 4:20?
¿Nos veremos en la biblioteca a las cuatro y veinte?

Para hacer una oración negativa acerca del futuro, escriba la palabra **not** después de **will**.

I will not be late tomorrow.
Yo no llegaré tarde mañana.

She will not be in San Francisco next week.
Ella no estará en San Francisco la próxima semana.

We will not meet at the library at 4:20.
Nosotros no nos veremos en la biblioteca a las cuatro y veinte.

La contracción de **will + not , won't**, se usa con frecuencia.

I won't be late tomorrow.
Yo no llegaré tarde mañana.

She won't be in San Francisco next week.
Ella no estará en San Francisco la próxima semana.

We won't meet at the library at 4:20.
Nosotros no nos veremos en la biblioteca a las cuatro y veinte.

Más sobre "have to"

El verbo **have to** también puede utilizarse para hablar de actividades futuras.

I can't talk now. I'll have to call you later.
No puedo hablar ahora. Tendré que llamarte más tarde.
No one is answering the phone. I'll have to call tomorrow.
Nadie contesta el teléfono. Tendré que llamar mañana.

Orden cronológico

Before (antes), **after** (después), **later** (más tarde) y **sooner** (más temprano), expresan la noción de tiempo en relación con un punto de referencia.

We said goodbye before he left.
Nos despedimos antes de que se fuera.

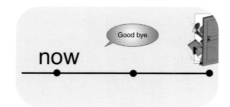

We'll say goodbye before he leaves.
Nos despediremos antes de que se vaya.

I'm busy now. Please call me later.
Ahora estoy ocupado. Llámame más tarde, por favor.

We missed the bus. Why didn't we leave sooner?
Perdimos el autobús. ¿Por qué no salimos más temprano?

"I was too … to …"

Too significa "demasiado". Se utiliza a menudo para indicar el motivo de una acción o situación.

I was too tired to study last night.
Yo estaba demasiado cansado anoche como para estudiar.
He was too poor to buy a new house.
Él era demasiado pobre como para comprar una casa nueva.
They were too angry to talk.
Ellos estaban demasiado enojados como para hablar.

"They say…"

They say (dicen) se usa cuando no se especifica el origen de la información. Puede que la información provenga de la televisión, del periódico o de otras personas.

They say it will rain on Saturday.
Dicen que lloverá el sábado.
They say his new car is very nice.
Dicen que su automóvil nuevo es muy bonito.

② Diálogo

Éste es el texto completo del diálogo incluido en el video. Usted hará el papel del espectador (viewer). Si le hacen una pregunta personal, conteste usando información personal. Tenga en cuenta que las respuestas del espectador que le proporcionamos no son las únicas respuestas correctas.

Haciendo recados

Tom	Hey, do you want to go for coffee? *¡Oye! ¿Quieres ir a tomar café?*
Viewer	Yes, I would./No, I can't. *Sí./No, no puedo.*
Tom	How about you, Janet? *¿Y tú, Janet?*
Janet	No, I'm sorry. I can't. *No, lo siento. No puedo.*
Tom	Are you in a hurry? *¿Tienes prisa?*
Janet	Yes, I am. I have a lot of errands—too many errands. And I have to be home by 6:00 for dinner. Robert and I are making dinner tonight. *Sí. Tengo muchos recados que hacer, demasiados recados.* *Y tengo que llegar a casa a cenar antes de las seis.* *Robert y yo vamos a preparar la cena esta noche.*

Tom	Why does Janet have to be home by 6:00?
	¿Por qué tiene Janet que llegar a casa antes de las seis?

Viewer	Because she and Robert are making dinner.
	Porque ella y Robert van a preparar la cena.

Tom	What errands do you have to run?
	¿Qué recados tienes que hacer?

Janet	I have to go to the bank and get some money.
	Then I have to buy spaghetti sauce at the supermarket.
	Finally, I have to drop off this book at the library.
	Tengo que ir al banco a sacar dinero.
	Luego tengo que ir al supermercado a comprar salsa para
	tallarines. Por último, tengo que dejar este libro en la biblioteca.

Tom	Wow! That's a lot!
	Listen. I have to go to the library. I can drop the book off .
	¡Vaya! ¡Esos son muchos recados!
	Oye. Tengo que ir a la biblioteca. Puedo dejar el libro.

Janet	Can you? That's great!
	Then I'll have time to run my other errands!
	¿De verdad? ¡Fantástico!
	¡Entonces tendré tiempo de hacer los demás recados!

Tom	And you'll be home on time!
	Y llegarás a tiempo a casa.

Janet   Exactly! I won't be late, and Robert won't be angry!
Thanks, Tom.
¡Exactamente! ¡No llegaré tarde y Robert no se enojará!
Gracias, Tom.

Tom   No problem! (I'm) happy that I can help.
¡No hay problema! Me agrada poder ayudar.

(to) lend a helping hand

Significa ayudar a alguien.

— During the disaster, the Red Cross was there
to lend a helping hand to the victims.

— *Durante el desastre, la Cruz Roja estuvo allí
para ayudar a los damnificados.*

Pronunciación

Le recomendamos que lea las palabras del vocabulario antes de ver el video correspondiente a esta lección. Éstas son las palabras más importantes de esta lección.

(to) recommend	*recomendar*
(to) record	*grabar*
(to) taste	*probar*
(to) wait	*esperar*

Apuntes

El acento en las palabras negativas

En la oración **I can swim**, la palabra **can** no se acentúa. Pero en la oración negativa correspondiente, **I can't swim,** se acentúan todas las palabras.

Pedir una aclaración

La diferencia de significado entre la oración **I can help** (puedo ayudar) y la oración **I can't help** (no puedo ayudar) es muy importante, pero resulta difícil distinguir la diferencia de pronunciación entre estas dos oraciones. Al pedir una aclaración, se pueden utilizar oraciones tales como **Please say that again** (¿puede repetirlo, por favor?).

Ahora bien, la manera más efectiva de pedir una aclaración es haciendo preguntas específicas o solicitando información específica.

Excuse me. Can you help me?   *Discúlpeme. ¿Puede ayudarme?*
    I can help.   *Puedo ayudar.*
Did you say can or can't?   *¿Ha dicho "puedo" o "no puedo"?*
    I said can. I can help you.   *He dicho "puedo". Puedo*
       ayudarle.

Thank you.   *Gracias.*

3 Notas

Lección 3

3 Notas

Le recomendamos que lea las palabras del vocabulario antes de ver el video correspondiente a esta lección. Éstas son las palabras más importantes de esta lección.

these	*estos, estas*
those	*esos, esas, aquellos (as)*
at the beginning of	*al principio de*
in the middle of	*en medio de*
at the end of	*al final de*
crosswalk	*paso de peatones*
sidewalk	*acera*
block	*cuadra, manzana*
right	*derecha*
left	*izquierda*
straight	*recto, derecho*
directions	*indicaciones*
north	*norte*
south	*sur*
east	*este*
west	*oeste*
light	*semáforo*
traffic light	*semáforo*
stop light	*semáforo*
stop sign	*señal de stop*

(to) be going to	*ir a*
(to) be lost	*estar perdido(a)*
(to) ask for	*preguntar (por alguien), pedir*
(to) check	*verificar*
(to) cross	*cruzar*
(to) get to	*llegar a*
(to) observe	*observar*
(to) turn	*girar, doblar*

as well as	*así como*
such as	*tal como, tales como*
attention	*atención*
quickly	*rápidamente*
disco	*discoteca*

Elementos esenciales

Esta sección destaca los elementos básicos de esta lección. Lea detenidamente lo que incluimos en ella.

north	*norte*
south	*sur*
east	*este*
west	*oeste*

| left | *izquierda* |
| right | *derecha* |

let's = let us

this	*este, esta, esto*
these	*estos, estas*
that	*ese, esa, eso, aquel, aquella, aquello*
those	*esos, esas, aquellos, aquellas*

Aprenda y practique

Le recomendamos que aprenda las expresiones y oraciones que se incluyen en esta lección. Practique lo aprendido cada día.

Turn	right at the corner.	*Gire*	*a la derecha en la esquina.*
	left in front of the bank.		*a la izquierda enfrente del banco.*
	on Macintosh Street.		*en la calle Macintosh.*
	at the stoplight.		*en el semáforo.*

Go	straight for two blocks.	*Vaya*	*derecho dos cuadras.*
Walk		*Camine*	

Cross the street at the corner.	*Cruce la calle en la esquina.*

The gas station is		*La gasolinera está*
	at the corner.	*en la esquina.*
	on the left.	*a la izquierda.*
	on the right.	*a la derecha.*
	behind the supermarket.	*detrás del supermercado.*
	in the middle of the block.	*en medio de la cuadra.*

Apuntes

Oraciones simples

Estas oraciones se llaman oraciones imperativas. Son oraciones simples que sirven para dar instrucciones o indicaciones.

> Turn right.
> *Doble a la derecha.*

> Walk straight to the end of the block.
> *Camine derecho hasta el final de la cuadra.*

> Cross the street and turn left.
> *Cruce la calle y doble a la izquierda.*

> Eat your vegetables.
> *Cómete las verduras.*

> Stop singing.
> *Para de cantar.*

Se sobreentiende que la palabra **you** está al comienzo de la oración: You stop singing. La forma imperativa se utiliza en oraciones negativas agregando **do + not**.

Don't turn right.
No gires a la derecha.

Don't cross the street.
No cruces la calle.

Este modelo de oración puede utilizarse para transmitir la idea de urgencia.

Don't touch the stove! It's hot.
¡No toques la estufa! Está caliente.

"Let's"

Let's es la contracción de **let us.** Se utiliza para dar una orden.

Let's get to work.
Vamos a trabajar.

o para hacer una sugerencia.

Let's go to a movie.
Vamos a ver una película.

Let's también puede usarse en oraciones negativas.

Let's not go to a restaurant tonight. Let's eat at home.
No vayamos al restaurante esta noche. Comamos en casa.

Expresiones que tienen el mismo significado

Turn left.	=	Make a left.	*Doble a la izquierda.*
		Hang a left.	*Gire a la izquierda.*
		Go left.	
		Take a left.	

El futuro: "going to"

En la clase anterior, usamos **will** para hablar de acciones que ocurrirán en el futuro. **Going to** cumple el mismo propósito.

He will take a test tomorrow.
Él hará un examen mañana.

He is going to take a test tomorrow.
Él va a hacer un examen mañana.

They will go to the party.
Ellos irán a la fiesta.

They are going to go to the party.
Ellos van a ir a la fiesta.

Utilice la forma correspondiente del verbo **to be**, la expresión **going to** y la forma simple del verbo principal.

I am going to study Spanish next year.
Yo voy a aprender español el año próximo.

Hurry! You're going to be late.
¡Date prisa! Vas a llegar tarde.

We're going to visit our grandparents next week.
Nosotros vamos a visitar a nuestros abuelos la próxima semana.

Para hacer oraciones negativas, agregue **not** después del verbo **to be**.

I'm not going to study Spanish next year.
Yo no voy a aprender español el año próximo.

You're not going to be late.
No vas a llegar tarde.

We're not going to visit our grandparents next week.
Nosotros no vamos a visitar a nuestros abuelos la próxima semana.

Acuérdese de usar contracciones al hablar.

I'm going to study Spanish next year.
Yo voy a estudiar español el año que viene.
Hurry! You're going to be late.
¡Date prisa ! Vas a llegar tarde.
We're going to visit our grandparents next week.
Nosotros vamos a visitar a nuestros abuelos la próxima semana.

I'm not going to study Spanish next year.
Yo no voy a estudiar español el año que viene.
You aren't going to be late.
No vas a llegar tarde.
We aren't going to visit our grandparents next week.
Nosotros no vamos a visitar a nuestros abuelos la semana que viene.

"There is" y "there are"

Usamos **there is** para decir que una persona o cosa está en un lugar determinado en el pasado, presente o futuro.

There was an apple on the table yesterday.
Había una manzana sobre la mesa ayer.

There is an apple on the table.
Hay una manzana sobre la mesa.

There will be an apple on the table tomorrow.
Habrá una manzana sobre la mesa mañana.

There are significa lo mismo pero se refiere a más de una persona o cosa.

There were three apples on the table yesterday.
Había tres manzanas sobre la mesa ayer.

There are three apples on the table.
Hay tres manzanas sobre la mesa.

There will be three apples on the table tomorrow.
Habrá tres manzanas sobre la mesa mañana.

Para hacer oraciones negativas, agregue la palabra **not.**

There are five people in the room.
Hay cinco personas en el cuarto.
There aren't five people in the room.
No hay cinco personas en el cuarto.

There will be a meeting next Wednesday.
Habrá una reunión el próximo miércoles.
There won't be a meeting next Wednesday.
No habrá una reunión el próximo miércoles.

Y haga preguntas de esta manera:

Were there five people in the room?
¿Había cinco personas en el cuarto?
Are there five people in the room?
¿Hay cinco personas en el cuarto?
Will there be five people in the room?
¿Habrá cinco personas en el cuarto?

Was there a meeting last Wednesday?
¿Hubo una reunión el miércoles pasado?
Is there a meeting next Wednesday?
¿Hay una reunión el próximo miércoles?
Will there be a meeting next Wednesday?
¿Habrá una reunión el próximo miércoles?

Éste es el texto completo del diálogo incluido en el video. Usted hará el papel del espectador (viewer). Si le hacen una pregunta personal, conteste usando información personal. Tenga en cuenta que las respuestas del espectador que le proporcionamos no son las únicas respuestas correctas.

Pidiendo ayuda

| Dan | Excuse me. |
| | *Discúlpeme.* |

| Viewer | Can I help you? |
| | *¿Puedo ayudarle?* |

| Dan | Yes, please. Where is the library? |
| | *Sí, por favor. ¿Dónde está la biblioteca?* |

| Viewer | I'm sorry. I don't know. |
| | *Lo siento. No lo sé.* |

Dan	Thanks, anyway.
	Excuse me. Where is the library?
	Gracias, de todas formas.
	Discúlpeme. ¿Dónde está la biblioteca?

Amy	It's close. Go out of the building and turn right.
	Walk to the corner of Clover Street and turn left.
	Está cerca. Salga del edificio y gire a la derecha.
	Camine hasta la esquina de la Calle Clover y gire a
	la izquierda.

| Dan | What street will that be? |
| | *¿Qué calle es ésa?* |

| Amy | That will be Dickinson Avenue. |
| | *Es la Avenida Dickinson.* |

| Dan | What street? |
| | *¿Qué calle?* |

| <u>Viewer</u> | <u>Dickinson Avenue.</u> |
| | *La Avenida Dickinson.* |

Amy	Walk straight down Dickinson Avenue.
	At Pine Road, turn right and cross the street.
	Camine derecho por la Avenida Dickinson.
	En el Camino Pine, gire a la derecha y cruce la calle.

| Dan | Oh. Is there a restaurant close to the library? |
| | *Oh. ¿Hay un restaurante cerca de la biblioteca?* |

Amy	Yes, there are two.
	There's an Italian restaurant and a Chinese restaurant.
	Sí, hay dos.
	Hay un restaurante italiano y un restaurante chino.

| Dan | Oh, I know the Italian restaurant. |
| | *Oh, conozco el restaurante italiano.* |

47

Amy	Yes, it's next to the gas station. The Chinese restaurant is behind the gas station. *Sí, está junto a la gasolinera.* *El restaurante chino está detrás de la gasolinera.*
Dan	Great! Thank you very much. *¡Fantástico! Muchas gracias.*
Amy	Don't mention it. *De nada.*
Dan	Thank you, too. *Gracias a usted también.*
Viewer	You're welcome. *De nada.*

....

between a rock and a hard place

Equivale a la expresión "estar entre la espada y la pared".

I'm between a rock and a hard place!
If I don't go to work, my boss will be
angry, but if I go to work, I won't be able
to study for my final exams.

*¡Estoy entre la espada y la pared! Si no
voy a trabajar, mi jefe se enojará, pero si
voy a trabajar, no podré estudiar para mis
exámenes finales.*

Lección

4

4 Notas

Le recomendamos que lea las palabras del vocabulario antes de ver el video correspondiente a esta lección. Éstas son las palabras más importantes de esta lección.

Pardon me.	*Perdone.*
Excuse me.	*Discúlpeme.*
Of course!	*¡Por supuesto!*
	¡Claro que sí!
Sure.	*Claro.*
(to) interrupt	*interrumpir*
politely	*cortésmente*
request (noun)	*solicitud*
(to) request	*solicitar*

straight ahead	*todo recto, todo derecho*
intersection	*intersección, cruce*
block	*cuadra*
at the beginning of	*al principio de*
at the end of	*al final de*
in the middle of	*en medio de*

Más vocabulario

sounds like	*parece que*
(to) relax	*relajarse*
(to) travel around	*viajar a*
could	*podría*
how	*como*
specifically	*específicamente*
until	*hasta*

51

Aprenda y practique

Le recomendamos que aprenda las expresiones y oraciones que se incluyen en esta lección. Practique lo aprendido cada día.

How do I get to the gas station?
        subway station?
        library?
        hospital?
        bus stop?

¿Cómo llego a la gasolinera?
        a la estación de metro?
        a la biblioteca?
        al hospital?
        a la parada del autobús?

How do I get from here to my house?
        there to the supermarket?
        your house to Tony's house?
        the bus stop to the mall?

¿Cómo llego de
        aquí a mi casa?
        allí al supermercado?
        tu casa a la casa de Tony?
        la parada del autobús al centro comercial?

Apuntes

Cómo pedir indicaciones

Al pedir indicaciones, este modelo de oración se usa con frecuencia:

How do you get to _____?

¿Cómo llegas a _____?

How do you get to the subway station?

¿Cómo llegas a la estación de metro?

Para especificar el punto de partida, utilice este modelo de oración:

How do you get from _____ to _____?

¿Cómo llegas de _____ a _____?

How do I get from the drugstore to the subway station?

¿Cómo llego de la farmacia a la estación de metro?

Cómo interrumpir a alguien

Para pedir ayuda, primero debe interrumpir a alguien cortésmente.

Excuse me.	*Discúlpeme.*
Pardon me.	*Perdone.*
Could you help me?	*¿Podría usted ayudarme?*

El siguiente paso es pedir ayuda cortésmente. En inglés, esas preguntas comienzan con las palabras **can** o **could**.

Can you…	*¿Puede usted…*
Could you…	*¿Podría usted…*

Al pedir indicaciones, utilice el siguiente modelo de oración:

Can you tell me how to get to the bank?
¿Puede decirme cómo llegar al banco?

Could you tell me how to get to the bank?
¿Podría decirme cómo llegar al banco?

Cómo ayudar a alguien

Cuando alguien le pide ayuda, hay varias formas de confirmar que puede hacerlo.

Sure.	*Desde luego. Claro.*
Of course.	*Por supuesto.*
No problem.	*No hay problema.*

Si usted no puede prestar ayuda, diga **I'm sorry** (lo siento) y después dé una breve explicación.

I'm sorry. I don't know.
Lo siento. No lo sé.

I'm sorry. I don't know how to get to the bank.
Lo siento. No sé cómo llegar al banco.

I'm sorry. I can't help.
Lo siento. No puedo ayudarle.

"Sounds like"

En sentido literal, la expresión **sounds like** se usa para describir lo que uno oye. Los otros verbos relacionados con los sentidos pueden usarse del mismo modo.

His voice sounds like birds singing.
Su voz suena como el canto de los pájaros.

This cake tastes like strawberries.
Este pastel sabe a fresas.

She smells like a rose.
Ella huele a rosas.

He looks like a movie star.
Él se parece a una estrella de cine.

Pero la expresión **sounds like** también se usa para expresar una opinión.

We're going to the beach tomorrow.
Nosotros vamos a la playa mañana.
That sounds like fun!
¡Parece divertido!

I have four tests on Friday.
Yo tengo cuatro exámenes el viernes.
That sounds like a lot of work.
Parece que vas a tener mucho trabajo.

Opuestos

at the beginning of
al principio de

at the end of
al final de

polite
cortés

rude
grosero

politely
cortésmente

rudely
de forma grosera

specifically
específicamente

in general
en general

quickly
rápidamente

slowly
lentamente

(to) ask
preguntar

(to) answer
contestar

close to
cerca de

far from
lejos de

behind
detrás de

in front of
delante de

expensive
caro

inexpensive
barato

problem
problema

solution
solución

same
igual

different
diferente

familiar
familiar

unfamiliar
extraño

Verbo o sustantivo

En inglés, hay muchas palabras que se escriben exactamente igual cuando son verbos y sustantivos.

I want to help him.
Le quiero ayudar.

He gave me a lot of help.
Él me prestó mucha ayuda

She requested directions to the store.
Ella pidió indicaciones para llegar a la tienda.
No one could answer her request.
Nadie pudo contestar a su pregunta.

My sister and I shopped from 9:00 to 6:00!
*¡Mi hermana y yo estuvimos comprando desde las nueve
hasta las seis!*
Is that shop near here?
¿Está esa tienda cerca de aquí?

They are dry cleaning my suit.
Están limpiando mi traje.
Did you get the dry cleaning today?
¿Fuiste a buscar la ropa a la tintorería hoy?

He turned left at the corner.
Él dobló a la izquierda en la esquina.
He made a left turn at the corner.
Él dobló a la izquierda en la esquina.

Éste es el texto completo del diálogo incluido en el video. Usted hará el papel del espectador (viewer). Si le hacen una pregunta personal, conteste usando información personal. Tenga en cuenta que las respuestas del espectador que le proporcionamos no son las únicas respuestas correctas.

Un buen restaurante

Robert	Hi, Mom. *Hola, mamá.*
Ann	Hi. *Hola.*
Robert	We went to a pizza place last night. *Fuimos a una pizzería anoche.*
Ann	Really? How was it? *¿De verdad? ¿Qué tal estaba?*
<u>Viewer</u>	<u>It was good.</u> *Estaba bien.*
Robert	It was great! The pizza was good, and it was very crowded. *¡Fue fantástico! La pizza estaba buena y había mucha gente.*
Ann	Is it far from here? *¿Está lejos de aquí?*

Robert	No! It's in the neighborhood! On 14th Street. *¡No! ¡Está en el vecindario! En la calle Catorce.*
Ann	What street? *¿Qué calle?*
<u>Viewer</u>	<u>14th Street.</u> *La calle Catorce.*
Ann	14th Street? Is it next to the bank? *¿La calle Catorce? ¿Está junto al banco?*
Robert	No. It's in the middle of the block between the supermarket and the drugstore. *No. Está en medio de la cuadra.* *Está entre el supermercado y la farmacia.*
Ann	Isn't that a game arcade? *¿No es una galería de juegos?*
Robert	Yes, it is! It is a pizzeria AND a game arcade. *¡Sí! ¡Es una pizzería Y una galería de juegos!*
Ann	How do you get there from the house? *¿Cómo llegas allí desde casa?*

Robert   You walk to Georgetown Boulevard.
          Turn right. Walk to the end of the block and turn
          left at the corner of 14th Street.
          The pizzeria is in the middle of that block.
          Caminas hasta el bulevar Georgetown.
          Doblas a la derecha. Caminas hasta el final de la
          cuadra y doblas a la izquierda en la esquina
          de la calle catorce.
          La pizzería está en medio de esa cuadra.

Ann   Terrific! I can't wait to go!
          ¡Magnífico! ¡Me muero por ir!

....

chasing rainbows

Equivale a "soñar con lo imposible". Se utiliza para indicar que alguien tiene tendencias quijotescas y que intenta alcanzar lo imposible.

— I am looking for someone to marry. She has to
  be very rich and as beautiful as Miss Universe.
— Oh, Marcelo, you will never get married if you
  keep chasing rainbows.

— *Estoy buscando a una chica con quien casarme.*
  Tiene que ser muy rica y tan bella como Miss
  Universo.
— *Oh, Marcelo, nunca te vas a casar*
  si sigues soñando con lo imposible.